W9-DJB-204

Travail : la révolution nécessaire

La collection *l'Aube poche essai*
est dirigée par Jean Viard

série *L'urgence de comprendre*

ISBN 978-2-8159-0201-4

Dominique Méda

Travail : la révolution nécessaire

éditions de l'aube

Préface

Le texte que l'on va lire constituait originellement le support d'une conférence prononcée à Lens en avril 2008, à l'invitation de la direction de la Prospective, du Plan et de l'Évaluation de la Région Nord-Pas-de-Calais, à un moment où les effets de la crise sur l'emploi ne s'étaient pas encore complètement fait sentir. Il s'agit d'une réflexion sur la place qu'occupe le travail dans la vie des Européens, qui prend appui sur une recherche européenne menée en 2006, 2007 et 2008. Celle-ci mettait en évidence une forte spécificité française dans le rapport au travail, les Français semblant, plus encore que les autres Européens, attacher une très grande importance à celui-ci.

Plus généralement, ce texte s'interroge sur les conditions nécessaires au développement d'un travail qui serait conforme aux immenses attentes qui pèsent sur lui. Il soutient que seule une révolution, multidimensionnelle, pourrait le permettre : si nous voulons vraiment réhabiliter le travail, comme on l'a si souvent entendu ces dernières années dans la bouche des hommes et femmes politiques, si nous voulons vraiment remettre le travail au centre de nos préoccupations et faire en sorte qu'il réponde à ce que les individus attendent de lui (l'expression et la réalisation de soi, la possibilité d'être utile et de venir en aide aux autres…), alors il nous faut inverser nos priorités. Il nous faut accorder soin et attention non pas à ce en vue de quoi le travail n'est qu'un moyen (l'augmentation de la production, du chiffre d'affaires, de la rentabilité, de la productivité) mais à l'activité de travail elle-même, renoncer aux objectifs purement quantitatifs, revoir en profondeur l'organisation de l'entreprise et sa définition même.

Ce livre revient sur la crise que traverse le travail depuis plusieurs décennies : montée des risques psychosociaux, explosion des TMS

(Troubles musculetto-squelettiques) et autres maladies directement issues du «nouveau productivisme»[1], perte du sens du travail, qui n'est bien sûr pas un phénomène français mais largement répandu, comme en atteste le récent livre de l'américain Matthew Crawford, *Éloge du carburateur. Essai sur le sens et la valeur du travail*[2]. Il essaie d'en déceler les causes et de s'intéresser à l'une des principales, soit la subordination de l'activité de travail à de multiples objectifs extérieurs : augmentation des exigences de rentabilité, accroissement des rythmes et des charges, fixation d'objectifs de plus en plus difficiles à atteindre, qui se sont accompagnés d'une dissolution des collectifs et des identités de métier et d'une montée des évaluations, incitations et rémunérations de plus en plus individualisées et de processus de «bureaucratisation» de l'activité qui contribuent à rendre celle-ci «étrangère» aux acteurs.

1. Philippe Askenazy, *Les Désordres du travail*, La République des idées, 2007.
2. Matthew Crawford, *Éloge du carburateur. Essai sur le sens et la valeur du travail*, La Découverte, 2010. Voir le compte rendu que j'ai fait de ce livre sur http://www.liens-socio.org/article.php3?id_article=6425.

Il ne s'attarde en revanche pas sur la crise de l'emploi qui s'est ajoutée récemment à cette crise du travail : augmentation du taux de chômage à presque 10 % alors même qu'une décrue s'était enfin engagée au cours des années précédentes, augmentation de la précarité et du sous-emploi sous le coup de la crise financière mondiale. Rappelons que dans son dernier rapport sur le travail dans le monde 2010[1], l'Organisation internationale du travail rappelle que les effets de la crise sur l'emploi sont loin d'être terminés, qu'elle n'envisage pas un retour aux niveaux de chômage et d'emploi antérieurs à la crise avant 2015 et qu'elle objurgue les États à ne surtout pas abandonner les mesures de soutien de l'emploi mises en place en 2009 et 2010. L'OIT propose une action très volontariste en trois volets pour sortir de la crise de l'emploi : réformer en profondeur le système financier international, cause de la crise ; rapprocher les évolutions des salaires et des gains de productivité ; mettre en place des mesures de soutien à l'emploi de toute nature : partage du travail, soutien à la création d'emplois aidés et d'emploi publics, mesure de

---

1. OIT, *Rapport sur le travail dans le monde 2010*, Genève.

politiques actives, formation… Rappelons que l'OCDE elle-même, organisation peu suspecte de soutien aux interventions publiques, a, dans ses *Perspectives de l'Emploi 2009*, félicité les États qui avaient développé des mesures qu'elle n'avait pourtant cessé de condamner les années précédentes : partage du travail, création d'emplois aidés et emplois publics, politique des revenus, lutte contre les «licenciements excessifs»…Ne sont-ce pas de telles mesures que nous devrions prolonger aujourd'hui – alors que le budget 2011 du ministère de l'Emploi indique une baisse de 60 000 contrats aidés –, au moins aussi longtemps que le taux de chômage ne sera pas redescendu à un niveau beaucoup plus bas ?

Mais cela ne suffira pas à apporter des solutions à la question de la crise du travail, celle à laquelle ce livre s'intéresse particulièrement. Je voudrais ici avancer une hypothèse: la crise écologique à laquelle toutes nos sociétés sont confrontées, et qui va nous obliger à engager des reconversions radicales dans de nombreux domaines très prochainement, est peut-être l'occasion unique de changer radicalement notre rapport au travail, de donner au travail cette place que nous souhaitons qu'il puisse désormais occuper. Je ne reviendrai pas ici en détail sur les contours de cette crise. Je renvoie à l'important ouvrage que Tim Jackson[1] vient d'y consacrer et qui rappelle en quelques pages que la fenêtre de tir dont nous disposons pour changer nos politiques est très étroite: la croissance actuelle de nos économies est insoutenable, la possibilité de «découpler» émissions de gaz à effets de serre et croissance est pour l'instant absolument insuffisante, et si nous ne changeons pas radicalement nos modes de consommation et de production, nous serons confrontés non seulement aux effets du changement climatique mais également à l'épuisement des minerais et ressources fossiles de l'exploitation desquels notre économie dépend.

Le remède proposé par Jackson est radical: nous devons abandonner la croissance infinie et viser une économie «stationnaire». Non seulement un tel choc exige que des mesures volontaristes soient développées pour en amortir les conséquences sur l'emploi, mais d'une

---

1. Tim Jackson, *Prospérité sans croissance*, De Boeck/ Etopia, 2010. Voir aussi Isabelle Cassiers (dir.), *Redéfinir la prospérité*, éditions de l'Aube, 2011.

manière générale, il importe de déplacer la production vers des secteurs et des activités moins générateurs de destruction de capital naturel et d'émission de GES, et moins générateurs aussi de gains de productivité, ce que le livre récent de Jean Gadrey confirme[1]. Réduction du temps de travail et déplacement de la production vers des secteurs très intensifs en main-d'œuvre, telle est la politique préconisée par Tim Jackson pour accommoder le fort ralentissement de la croissance auquel il nous faut consentir si nous voulons éviter des catastrophes à moyen terme. Rompre avec l'obsession des gains de productivité, ce serait bien sûr rompre avec tous les fondamentaux de la discipline économique depuis plus de deux siècles.

Remise en cause du bien-fondé du processus de destruction créatrice (laissons les emplois être détruits, car c'est la condition nécessaire pour qu'émergent de nouveaux emplois, plus rentables), abandon de la poursuite frénétique de gains de productivité considérés comme gage de progrès et de performance des économies, nécessité de trouver des moyens radicalement

---

1. Jean Gadrey, *Adieu à la croissance*, Les Petits Matins, 2010.

nouveaux d'investir et de produire, urgence d'un nouveau modèle macroéconomique intégrant les flux de matières… Autant de révolutions qui semblent nécessaires et qui pourraient constituer une chance exceptionnelle – si nous sommes capables de piloter raisonnablement et sereinement ce processus… – non seulement d'organiser l'accès de tous à l'emploi, mais aussi à l'emploi de qualité, c'est-à-dire de changer radicalement le travail. Car rompre avec la logique de l'augmentation incessante des gains de productivité, avec l'exigence toujours renouvelée de rentabilité, avec les différents facteurs qui tous pèsent, de l'extérieur, sur l'activité de travail et transforme celle-ci en pur moyen, c'est permettre de retourner l'attention vers les conditions d'exercice de l'activité elle-même, vers le lien existant entre celle-ci et la qualité du produit, c'est fonder la possibilité d'une reconnaissance par l'usager du savoir-faire engagé, c'est aussi inscrire l'activité de travail dans une perspective plus large d'entretien du monde et de ses habitants. Dès lors, plus encore que la frugalité et la sobriété joyeuse, c'est le retour à un plein emploi de qualité et un travail débarrassé de la tyrannie de la marchandise[1] qui pourrait rendre désirable la reconversion écologique que nos sociétés doivent aujourd'hui engager.

1.   Moishe Postone, *Temps, Travail et Domination sociale*, Mille et une Nuits essais, 2009. Voir le compte-rendu de ce livre dans la *Revue Française de socio-économie*, n° 6, deuxième semestre 2010.

Introduction

Pour introduire ce petit livre, je dois d'abord vous dessiner le contexte de mon intervention et, surtout, vous dire quelques mots de mon itinéraire intellectuel. En 1995, j'ai publié un livre malencontreusement intitulé : *Le travail. Une valeur en voie de disparition*, qui a provoqué énormément de débats et une sorte de scandale. C'était une aubaine pour tous ceux qui cherchent à simplifier et ceux qui ne lisent pas les livres mais s'arrêtent à leur titre car cela leur donne une entrée en matière toute faite : « contrairement à ce que l'on vous dit, le travail n'est pas en train de disparaître… » ou bien « contrairement à Rifkin et Méda qui annoncent la fin du travail… ». En réalité, je ne disais bien sûr pas du tout que le travail était en train de disparaître mais qu'il fallait revoir la place que nous lui accordions

dans nos vies, à la fois collectivement et indivi-
duellement, et qu'il était *souhaitable* que le travail
occupe moins de place dans nos vies individuelles
et dans notre vie sociale. Pourquoi ? D'une part,
pour faire en sorte que chacun puisse avoir un
travail, un travail de qualité. D'autre part, pour
permettre à chacun d'avoir accès à la gamme
entière et diversifiée des activités humaines.
Ma formation initiale est la philosophie. Cela
explique que les questions qui m'intéressent se
posent en termes de finalité, et concernent les
fins que nous poursuivons : qu'est-ce qu'une
bonne société, quels sont les ingrédients qui
conditionnent le bien-vivre ensemble ? Donc,
dans ce livre j'essayais d'expliquer et de démontrer qu'une bonne société serait sans doute
celle qui permettrait à chacun d'avoir accès à
la gamme des activités humaines nécessaires
au bien-être individuel et au bien-être social.
Cela signifie réorganiser la société de telle sorte
que chacun, homme ou femme, ait pleinement
et également accès aux activités productives (le
travail) ; aux activités amicales, amoureuses,
familiales ; aux activités politiques, aujourd'hui
réduites à rien ; aux activités personnelles de

libre développement de soi. Ce n'est pas le cas aujourd'hui. Mais j'ai tenté de démontrer que c'est bien l'objectif que devraient se donner les gouvernants de nos sociétés, les peuples qui les composent – et aussi ce que devraient mesurer des indicateurs dûment choisis. Cela ne signifie rien d'autre que de mettre à la place des « objectifs » le plus souvent non explicités (la croissance ; l'abondance ; le plus gros PIB par tête…) une visée radicalement différente. Cela signifie l'adopter comme idée du progrès de nos sociétés et juger du développement de celle-ci à cette aune. Une révolution. Cela peut paraître certes complètement utopique, mais cela a le mérite de donner un idéal – Kant aurait dit un Idéal régulateur –, sur lequel on peut garder les yeux fixés pour ensuite essayer de faire des choix de société cohérents.

Pour tenter de donner un aperçu de ma réflexion actuelle sur le sujet proposé – Travail : la révolution nécessaire –, je partirai de la question de la place du travail dans les identités en France et en Europe, réflexion fondée sur une importante étude que nous avons réalisée au Centre d'études de l'emploi dans le cadre d'un projet de recherche européen[1] (avec six autres pays), qui cherchait à comprendre si les jeunes avaient ou non un rapport spécifique au travail (des propos se faisant régulièrement entendre sur le fait qu'ils seraient moins motivés et moins intéressés par le travail).

Je ferai ensuite un bref retour sur l'histoire longue du travail. Je m'interrogerai sur les politiques du travail que l'on pourrait mettre en œuvre et je terminerai par une réflexion sur la conception de la richesse et du progrès dans notre société.

---

1. Le projet de recherche européen SPReW (*Social Patterns of Relation to Work*) a été financé par le 6e programme cadre européen de recherche-développement et coordonné par la Fondation Travail-Université de Namur (Patricia Vendramin). La coordonnatrice du volet français était Dominique Méda. Les entretiens ont été réalisés avec Béatrice Delay et Marie-Christine Bureau, et les exploitations statistiques avec Lucie Davoine. Qu'elles soient toutes ici remerciées. Le lecteur intéressé pourra, pour plus de détails, se reporter à la publication suivante : Lucie Davoine, Dominique Méda, *Place et sens du travail en Europe : une spécificité française ?*, Document de travail du CEE, n° 96-1, 2008.

1.
La place du travail dans les identités en France et en Europe

Dans notre programme de recherche, nous avons travaillé avec six pays européens : l'Allemagne, l'Italie, le Portugal, la Hongrie, la Belgique et la France. Nous avons mobilisé toutes les enquêtes européennes qui existaient sur le sujet du travail ou qui comportaient un volet consacré à cette thématique ; nous avons réuni aussi toutes les enquêtes nationales, et enfin nous avons mené environ 200 entretiens qualitatifs. Nous avons particulièrement utilisé l'enquête européenne EVS (« European Values Study »), qui interroge un panel de 2 000 personnes par pays ; l'ISSP (« International Social Survey Programme »), dont les éditions de 1997 et 2005 sont consacrées à la question du travail ;

et enfin l'ESS (« European Social Survey ») qui contient en 2004 un chapitre spécial sur la famille, le travail et le bien-être[1]. Au niveau national, nous nous sommes servis en France de l'enquête « Travail et modes de vie » réalisée par Christian Baudelot et Michel Gollac, à laquelle j'avais participé en 1997 ; d'une enquête de l'Observatoire sociologique du changement (Serge Paugam) et d'une enquête de l'Insee, intitulée « Histoire de vie sur la construction des identités » qui montre quelles sont les grandes composantes de l'identité des personnes. Enfin, nous avons utilisé des enquêtes réalisées par différents instituts de sondage. Les résultats quantitatifs que je vais vous présenter sont issus d'un travail commun avec Lucie Davoine, avec laquelle nous avons publié un document qui présente en détail toutes les exploitations.

---

1 Les résultats de l'enquête EVS 2008 n'ont été accessibles pour la France qu'en juillet 2009, bien après la réalisation de notre travail. Je ne pourrai donc ici présenter que les résultats des vagues 81, 90 et 99, mais j'ajouterai quand cela sera vraiment nécessaire les résultats de l'EVS 2008 dont je dispose depuis très peu de temps grâce à Pierre Bréchon, Jean-François Tchernia et S. Bressé – que je remercie.

La première chose qui apparaît au travers de ces enquêtes, c'est que le travail occupe une place très importante dans la vie de tous les Européens : entre 40 % et 80 % des personnes considèrent que le travail est très important pour elles, et moins de 20 % déclarent que le travail n'est pas très important ou pas important dans leur vie. On peut donc dire que l'on n'est pas loin du plébiscite en faveur du travail. Pourtant, apparaît très vite une hétérogénéité. Au Danemark et en Grande-Bretagne, les personnes interrogées ne sont que 40 % à dire que le travail est très important. Elles sont 50 % dans un groupe de pays constituant en quelque sorte un ventre central, avec l'Allemagne et la Grèce. Enfin, dans une série de pays dont fait partie la France, les taux sont extrêmement élevés. La France se distingue à la fois des pays continentaux et des pays méditerranéens par une proportion plus importante d'habitants pour qui le travail est très important. Par ailleurs, les résultats de la France sont très proches de ceux des pays les plus pauvres, comme la Lettonie, la Roumanie, Malte et la Pologne. Et, lorsque l'on prend la liste des quinze pays européens, la France est vraiment la première, avec 70 %.

Comment s'explique cette spécificité française ? Et pourquoi 70 % de la population française déclare-t-elle que le travail est très important ?

L'attachement particulier des Français au travail

Certains chercheurs expliquent ce fait par la composition de la population. Dans certains pays, il y a plus de gens au foyer ou plus de retraités et donc cela aura un impact sur les réponses. Plus il y aura de femmes au foyer ou de retraités dans un pays, moins vous aurez de personnes qui déclarent le travail comme étant important. Il faut aussi prendre en compte le taux de diplômés dans une société, sachant que les diplômés disent moins que le travail est important. Ceci étant, même si on tient compte de ces éléments, les écarts restent importants et significatifs.

D'autres chercheurs, comme par exemple Hofstede, proposent une explication d'ordre culturel. Mais cela ne suffit pas non plus à expliquer les différences au sein de l'Europe.

En revanche, on observe un clivage assez fort entre les pays protestants et les pays catholiques.

Mais, à l'inverse de la démonstration de Max Weber dans *l'Éthique protestante et l'esprit du capitalisme* (les protestants auraient valorisé l'éthique du travail et «l'ici-bas», et ainsi rendu légitime l'aménagement rationnel du monde), on observe que c'est dans les pays protestants que les gens sont aujourd'hui moins nombreux à trouver le travail important. Ceci étant dit, cet élément seul ne suffit pas non plus à expliquer le résultat des enquêtes.

Venons-en alors aux explications économiques. Lorsque, dans un même pays, on observe des variations importantes dans les réponses, c'est le signe que l'explication n'est pas ou pas seulement culturelle. Or, concernant les pays scandinaves, le Royaume-Uni et l'Irlande, de grosses variations sont apparues entre 1990 et 1999, alors qu'il y avait une amélioration de la conjoncture économique et une augmentation du PIB. D'où l'idée que l'importance accordée au travail ne serait pas sans lien avec le contexte économique. Cette thèse a été défendue par Ronald Inglehart, qui a d'ailleurs beaucoup utilisé ces enquêtes. Inglehart soutient que le développement économique a des conséquences systématiques sur la culture et les valeurs d'un pays. Il discerne trois stades d'évolution de la société : dans la société agraire, les hommes doivent se battre contre la nature ; dans la société industrielle, le jeu contre la nature passe par les techniques et l'organisation du travail ; enfin, dans la société post-industrielle, la survie n'est plus une préoccupation. Dans des travaux récents, Ronald Inglehart et Wayne Baker proposent de classer les pays selon deux axes ou deux dimensions : une première dimension, qui marque le passage d'une société préindustrielle à une société industrielle, oppose les valeurs traditionnelles et religieuses aux valeurs laïques et rationnelles. La deuxième dimension oppose les préoccupations de survie aux préoccupations d'expression individuelle et de qualité de vie. Selon cette théorie, les dimensions instrumentales (notamment du travail) qui étaient les plus importantes auparavant le seraient aujourd'hui moins que les dimensions expressives, ou encore « post-matérialistes ». Les préoccupations d'expression de soi, de réalisation de soi, seraient désormais plus développées que l'intérêt porté au revenu ou à la sécurité de l'emploi (on parle aussi de dimensions intrinsèques – l'intérêt du travail par exemple – et de dimensions extrinsèques).

Historiquement, le travail s'inscrirait d'abord dans un système de croyance et de respect de l'autorité. Il correspondrait alors à une «éthique du devoir», une obligation envers la société ; ensuite, avec le développement de valeurs individualistes et rationnelles, le travail revêtirait une valeur instrumentale: il serait recherché pour la sécurité et le revenu qu'il peut apporter; enfin, aujourd'hui, le travail devrait avant tout permettre aux individus de s'épanouir, la sécurité économique dans les pays les plus riches n'étant plus une priorité et la qualité de vie et le bien-être subjectif devenant des valeurs majeures.

Après avoir mobilisé, dans un premier temps, l'existence de ces cadres explicatifs, nous avons essayé de créer des modèles en croisant toutes ces données qui étaient à notre disposition. Nous avons testé l'influence de cinq variables ou dimensions: le taux de chômage, le niveau du développement économique, l'éthique du devoir, la dimension instrumentale ou matérialiste du travail et enfin la dimension post-matérialiste.

Nous avons cherché à savoir laquelle de ces dimensions était la plus importante.

La corrélation qui apparaissait nettement entre, d'une part, l'importance accordée au travail et, d'autre part, le niveau de richesse, se vérifie assez bien en Europe, sauf en France. En Europe, d'une manière générale, plus le PIB est élevé, moins on accorde d'importance au travail. En France, bien que nous ayons un PIB élevé, nous accordons une importance très grande au travail. En revanche, en France comme dans les autres pays européens, une corrélation forte existe entre le taux de chômage et l'importance accordée au travail. Les personnes déclarent d'autant plus que le travail est très important que le taux de chômage national est élevé. L'enquête « Travail et modes de vie », conçue par Christian Baudelot et Michel Gollac, avait déjà mis en évidence ce résultat. On demandait aux gens : « Qu'est-ce qui, pour vous, est le plus important pour être heureux ? » 32 % des personnes actives en CDI répondaient que c'était le travail, alors que les chômeurs et les actifs en CDD étaient 10 % de plus à dire que le travail était important. Il y a donc bien un lien entre le chômage et l'importance accordée au travail, mais le chômage n'explique pas à lui tout seul la spécificité de la France.

Si l'on prend la grille de lecture suggérée par Ronald Inglehart et que l'on utilise les trois dimensions que peut recouvrir le travail (le travail est un devoir ; le travail est un moyen de gagner sa vie ; le travail est un moyen de s'exprimer, de se réaliser, de participer à un collectif), y a-t-il des différences entre la position française et celle des autres pays ? Le travail est-il par exemple davantage considéré comme un devoir en France qu'ailleurs ? Pas en 1999[1]. La France occupe alors une position moyenne.

Venons-en à la dimension instrumentale qui est souvent illustrée par l'importance accordée à la sécurité de l'emploi et au salaire. La spécificité française s'expliquerait-elle par un intérêt plus important accordé au travail comme source de revenus ? Une fois encore, non. La plupart

---

1. En 2008, l'idée que «le travail est un devoir vis-à-vis de la société» a considérablement progressé. Alors que la moitié des répondants le disaient en 1999, plus des trois quarts sont d'accord avec cette opinion en 2008; voir Jean-F. Tchernia in P. Bréchon, J.-F. Tchernia (dir.), *La France à travers ses valeurs*, Colin, 2009.

des pays européens, dont la France, refusent de considérer que le travail ne serait qu'un moyen de gagner sa vie, même si évidemment ils accordent de l'importance à la sécurité de l'emploi et au fait d'avoir un bon salaire. Pour près de 30 % des Français, le travail est juste un moyen de gagner sa vie, ce qui les place au-dessus des Danois et des Suédois, mais en dessous de tous les autres. 60 % des Français continueraient à travailler même s'ils n'avaient pas besoin d'argent. Ils se trouvent donc de nouveau dans la moyenne européenne. La valeur instrumentale du travail n'est ni plus ni moins développée que dans des pays comparables, tels que l'Allemagne.

Au-delà de la dimension matérielle du salaire, la dimension symbolique, à savoir la reconnaissance sociale acquise grâce au salaire, est extrêmement forte. Il faut donc considérer la différence entre dimension instrumentale et dimension expressive avec beaucoup d'attention. Quant aux réponses à la question : « Quelle importance accorderiez-vous à un revenu élevé si vous deviez choisir un travail ? », elles placent aussi la France dans une position médiane.

En revanche, à partir du moment où l'on aborde la question de « l'intérêt intrinsèque accordé au travail », ou ce qu'on a appelé plus haut « la dimension expressive », la France se démarque nettement des autres pays européens. D'après les dernières études de l'ISSP datant de 1997 et 2005, près de 65 % de la population française déclarent cet aspect « très important », alors que, dans la plupart des autres pays européens, le taux est beaucoup moins élevé. Les Français seraient donc davantage attachés à la dimension expressive du travail et auraient des attentes extrêmement fortes en matière de réalisation de soi et d'expression de soi dans le travail. Il faut noter que la dimension expressive est constituée de deux éléments : l'aspect d'expression de soi, de sa personnalité, de sa subjectivité (qui nous fait très fortement penser à ce magnifique texte de Marx (voir encadré), et l'aspect des relations sociales : « Je travaille dans une équipe où cela se passe bien, de manière conviviale. » Nous tenons donc peut-être, avec cet attachement particulièrement fort accordé à la dimension expressive du travail, la clé de la spécificité française. Certes, nous avons observé une montée de ces préoccupations post-matérialistes dans l'ensemble de l'Europe. Partout, les personnes que nous avons interrogées disent que le travail ne doit pas être uniquement un moyen de gagner de l'argent, mais qu'il doit aussi leur permettre de se réaliser. C'est encore plus vrai en France, et plus particulièrement chez les jeunes. Lorsque 68 % des Français disent accorder beaucoup d'intérêt aux opportunités d'apprentissage et d'évolution, les jeunes, eux, sont 78 % à le déclarer. Quant à «l'intérêt du travail», les Français sont 91 % à le plébisciter, les jeunes 96 %. Enfin, si 71 % des Français valorisent «la qualité et la densité de l'environnement social et relationnel de leur activité», les jeunes sont 73 %.

Marx, *Manuscrits de 1844*

«Supposons que nous produisions comme des êtres humains : chacun de nous s'affirmerait doublement dans sa production, soi-même et l'autre. 1. Dans ma production, je réaliserais mon individualité, ma particularité ; j'éprouverais, en travaillant, la jouissance d'une manifestation individuelle de ma vie, et, dans la contemplation de l'objet, j'aurais la joie individuelle de reconnaître ma personnalité comme une puissance réelle, concrètement saisissable et échappant à tout doute. 2. Dans ta jouissance ou ton emploi de mon produit, j'aurais la joie spirituelle immédiate de satisfaire par mon travail un besoin humain, de réaliser la nature humaine et de fournir au besoin d'un autre l'objet de sa nécessité. 3. J'aurais conscience de servir de médiateur entre toi et le genre humain, d'être reconnu et ressenti par toi comme un complément à ton propre être et comme une partie nécessaire de toi-même, d'être accepté dans ton esprit comme dans ton amour. 4. J'aurais, dans mes manifestations individuelles, la joie de créer la manifestation de ta vie, c'est-à-dire de réaliser et d'affirmer dans mon activité individuelle ma vraie nature, ma sociabilité humaine. Nos productions seraient comme autant de miroirs où nos êtres rayonneraient l'un vers l'autre. »

Avec plus de la moitié des Français qui se dit « tout à fait d'accord » avec l'idée que le travail est nécessaire pour développer pleinement ses capacités, la France occupe la première place sur les vingt-sept pays européens. Il semble bien que la dimension expressive, qui recouvre une pluralité d'attentes, soit l'une des explications que nous cherchions de la spécificité française. Une enquête IPSOS de 2006 confirme l'importance de la dimension expressive en France : lorsque l'on interroge les Européens sur leur rapport affectif au travail, les Britanniques et les Danois semblent relativement distanciés, pragmatiques ; leur rapport au travail est moins affectif. Lorsque l'on demande aux Anglais ce qu'évoque pour eux le travail, ils répondent plutôt « la routine », alors que les Français vont parler « d'accomplissement de soi » ou de fierté. Plus concrètement, ce plébiscite des dimensions expressives se rapporte, d'une part, à l'intérêt intrinsèque du travail (avoir un travail intéressant) et, d'autre part, au collectif de travail : non pas la société tout entière ou l'entreprise, mais la petite équipe avec laquelle se nouent les contacts au quotidien. Cet aspect est bien illustré par la notion de « bonne ambiance de travail », qui est aussi plébiscitée.

Mais, comme je vous le disais, il y a une différence entre ce que nous rapportent les exploitations des enquêtes, qui nous montrent que cette dimension expressive est vraiment développée en France – plus que partout ailleurs –, et ce que nous avons recueilli au cours des entretiens menés dans les six pays européens, qui indiquent tous une très forte montée de cette dimension. Mais, et je complique un peu les choses, cela ne signifie pas que les dimensions instrumentales importent peu. Non, elles sont également extrêmement importantes. Elles le sont moins dans les pays où le revenu moyen est élevé (les pays scandinaves) et où les systèmes de protection sociale remplissent bien leurs missions. Mais elles sont importantes, et surtout, et c'est un des enseignements de nos enquêtes, l'opposition entre dimensions instrumentales et dimensions expressives apparaît un peu trop rigide, artificielle. Le salaire, par exemple, n'est pas qu'une dimension extrinsèque, il ne renvoie pas qu'à la dimension instrumentale. Les individus considèrent au contraire que le salaire comporte une dimension symbolique très importante, qu'il est un des éléments essentiels de la reconnaissance. Enfin, à côté de ces dimensions instrumentales et expressives, on a vu la montée d'une troisième dimension, celle relative à la carrière et à la réussite individuelle, mais aussi au fait de pouvoir apprendre et progresser en permanence. On s'est aperçu, même si on ne l'a pas montré statistiquement, que cet aspect était plus développé chez les jeunes femmes dans l'ensemble des pays étudiés.

Deux explications relativement différentes permettent donc de comprendre la position française particulière au sein de l'Europe dans son rapport au travail. D'une part, le taux de chômage élevé en France, à l'origine de la peur de perdre son emploi et de ne pas en retrouver (les Français sont parmi les plus nombreux dans l'Europe des Vingt-Sept à avoir peur de perdre leur emploi et de ne pas en retrouver un où ils pourraient utiliser leurs compétences). D'autre part, une forte volonté de se réaliser et de s'exprimer dans le travail, des attentes donc extrêmement fortes posées sur le travail.

Le paradoxe français

Mais, et j'en arrive à ce que nous avons appelé, avec Lucie Davoine, le «paradoxe français». Cette position vraiment très spécifique de la France, ce plébiscite en faveur du travail qui réjouira tous ceux qui craignaient l'effondrement de la valeur travail, va de pair avec un désir, tout aussi fort, de voir le travail occuper moins de place dans leur vie. Les Français sont les plus nombreux en Europe à le souhaiter. Dans l'EVS de 1999, à la question : « Serait-ce une bonne chose que le travail prenne une place moins grande dans votre vie ? », les Français sont les plus nombreux à répondre par l'affirmative. Si près de la moitié des Britanniques, des Belges et des Suédois souhaiteraient que le travail prenne moins de place dans leur vie, cette proportion atteint 65 % en France. Signalons d'ailleurs que la Grande-Bretagne est un pays tout aussi singulier : les Britanniques déclarent en effet plus rarement que « le travail est très important dans leur vie », mais ils souhaitent aussi, dans leur grande majorité, diminuer l'importance du travail dans leur vie. Plus généralement, les deux dernières décennies ont été marquées par un accroissement du nombre de personnes désireuses de voir le travail prendre une place moindre dans beaucoup de pays, notamment en Irlande, aux Pays-Bas, en Belgique, en Suède et en Grande-Bretagne. En 1981 et en 1999, les Français sont les plus nombreux à vouloir voir diminuer l'importance du travail. Ce résultat peut s'expliquer par les périodes retenues : en 1981 et 1999, les majorités au pouvoir ont fait de la réduction du temps de travail un objectif politique, et le débat public relaie cette idée. La position française s'explique-t-elle donc par le moment où est intervenue l'interrogation (celui où les débats sur la réduction du temps de travail battaient leur plein) ? Sans doute en partie, mais pas totalement. Les enquêtes les plus récentes dont on dispose, par exemple l'ISSP 2005 précisément consacré au travail, montrent en effet qu'une part importante des Français continue, malgré un changement d'époque et de « mode » vis-à-vis du temps de travail, à désirer réduire le temps consacré au travail (37 %), même si une petite partie souhaite aussi augmenter le temps consacré à celui-ci (17 %).

Comment expliquer ce paradoxe ? Quatre explications peuvent être mobilisées. Les deux premières sont plutôt négatives : on peut faire l'hypothèse que ce sont des raisons inhérentes au travail qui pourraient pousser les personnes à déclarer à la fois qu'elles accordent une énorme importance au travail (leurs attentes sont très fortes), mais qu'elles voudraient voir le travail occuper moins de place parce que leurs attentes sont déçues. Ce sont la mauvaise qualité des relations sociales et les mauvaises conditions de travail qui pousseraient les Français à accorder moins de place au travail dans leur vie. Puisque le travail ne répond pas à leurs attentes, ils souhaitent réduire sa place. Les deux autres explications sont plus positives, et tiennent moins au travail lui-même qu'à l'existence d'autres activités auxquelles les Français accordent également beaucoup d'importance, et considèrent ne pas pouvoir consacrer assez de temps. Certes le travail est très important, mais il est mal articulé avec d'autres activités qui sont également très valorisées; et donc il s'agit de réduire la place (trop grande ou trop mal articulée avec les autres temps) qu'occupe le travail pour leur laisser de la place.

La première explication, qui met l'accent sur les mauvaises relations sociales, a été développée par Thomas Philippon dans un livre publié en 2007 (*Le Capitalisme d'héritiers*, République des idées). Selon lui, il n'y aurait pas de crise du travail en France, mais l'expression d'un fort malaise au travail. Les relations sociales en France seraient tellement exécrables que les salariés désespéreraient du travail et se mettraient en quelque sorte dans une position de retrait : la volonté de réduire la place occupée par le travail serait la conséquence de l'impossibilité de changer le travail et l'expression des difficultés ressenties dans la vie de travail. C'est en effet en France que les relations avec la direction sont les plus mauvaises, d'après les trois vagues de l'ISSP : 52 % des salariés français estiment que leur relation avec la direction est «bonne», alors que cette proportion atteint plus de 60% dans tous les autres pays de l'Union européenne des Quinze – et près de 80% en Allemagne, en Irlande et au Portugal. En 2005, l'autonomie dans le travail concerne 67% des Français, ce qui reste une des proportions les plus basses en Europe, avec l'Espagne et le Portugal. Cette observation rejoint les enquêtes sur l'organisation du travail qui mettent en évidence que le taylorisme est plus répandu dans le sud de l'Europe et en France, par rapport à l'Allemagne et aux pays nordiques notamment (Edward Lorenz et Antoine Valeyre, 2005), qui ont privilégié l'autonomie et le travail d'équipe.

Deuxième explication : les mauvaises conditions de travail et d'emploi. Là encore, la France occupe le premier rang sur plusieurs items. La France se distingue par une proportion de travailleurs soumis au stress plus importante qu'ailleurs : plus de 45 % des personnes interrogées estiment que leur travail est toujours ou souvent stressant. Les Français sont aussi ceux qui se sentent le plus souvent épuisés après le travail. Par ailleurs, la France n'est pas épargnée par la progression de l'intensité du travail qui concerne plus de la moitié des travailleurs selon l'enquête européenne sur les conditions de travail. Elle est en grande partie à l'origine du mal-être et de l'insatisfaction au travail de nombreux travailleurs européens. Un sentiment de frustration peut ainsi naître : le travail est jugé intéressant, mais l'organisation en vigueur le rend pénible, fatiguant, trop intense.

D'après l'ISSP, les salariés français se disent aussi mécontents de leur salaire : seuls 15 % estiment que leur revenu est élevé, ce qui place la France en dernière position avec le Portugal. Cette situation est d'autant plus désespérante pour les Français qu'ils croient peu en des perspectives de promotion. La France est le pays où les chances subjectives de promotion seraient les plus faibles. D'après une enquête IPSOS réalisée en 2007, seuls 36 % des salariés français estiment que leur entreprise « porte suffisamment d'attention au développement des compétences » (Solom, 2007). Selon la même enquête, 57 % des salariés déclarent que leur implication dans le travail n'est pas reconnue. Résultat : la satisfaction au travail est faible, en tout cas plus faible qu'ailleurs. Quant à la question synthétique sur la « satisfaction au travail », la France est encore en dernière position. Près de 55 % des Danois se déclarent « très satisfaits » ou « complètement satisfaits », alors que moins de 30 % des Français se trouvent dans cette situation en 2005, d'après l'ISSP. Les Français affirment donc des exigences fortes en matière d'intérêt intrinsèque du travail, et semblent relativement satisfaits de ce point de vue. En revanche, les conditions de travail, son organisation et les rétributions qui en découlent (salaire, sécurité, perspective de promotion) s'avèrent, si on suit l'opinion des travailleurs, plus médiocres en France que dans d'autres pays européens. En d'autres termes, si l'appétence au travail reste très vivace, les conditions qui l'entourent ont pu susciter une certaine frustration parmi les Français, qui souhaiteraient par conséquent réduire l'importance que le travail a dans leur vie.

Ces explications sont principalement « négatives » : le désir des Français de voir le travail occuper moins de place dans leur vie apparaît comme le résultat de désillusions, comme l'expression d'une frustration due aux mauvaises relations sociales à l'intérieur de l'entreprise, ou aux mauvaises conditions de travail ou d'emploi. Mais la prise en considération des attentes que les Européens, et plus encore les Français, portent sur d'autres domaines ou d'autres sphères de vie que le travail montre qu'il est nécessaire de faire place à des explications plus positives. Ce que toutes les enquêtes européennes et françaises mettent en effet en évidence, depuis plusieurs années, c'est la force des attentes, souvent insatisfaites, qui sont placées sur la famille, particulièrement en France. Loin d'apparaître seulement comme un refuge, une « valeur » ou une activité d'autant plus appréciée que le travail serait décevant, « la famille » se présente au contraire comme un domaine d'investissement affectif et de réalisation de soi extrêmement attractif, susceptible non seulement d'être affecté par ce qui se passe au sein de la sphère du travail, mais aussi d'affecter la vie de travail, et comme une activité fort consommatrice de temps qui entre directement en concurrence avec le travail, particulièrement pour les femmes.

Signalons d'abord que, dans la plupart des pays, les femmes et les hommes sans enfant entretiennent le même rapport au travail : nous avons même récemment montré avec des collègues, en exploitant l'enquête «Histoire de vie sur la construction des identités», que les femmes considèrent plus encore que les hommes le travail comme un élément important de leur identité. En revanche, dans les différents pays aussi, les femmes avec de jeunes enfants entretiennent avec le travail un rapport différent de celui des hommes. Ce n'est certainement pas parce qu'elles aiment moins travailler, mais parce que ce sont elles qui continuent à prendre en charge les soins aux enfants et que cette double charge complique singulièrement les choses. Ce qu'elles expriment, ce n'est pas une moindre appétence pour le travail, mais de plus grandes difficultés, ou, si l'on veut pousser l'interprétation plus loin, un mélange de contraintes (c'est plus difficile de laisser le travail prendre toute la place quand on a de jeunes enfants dont il faut s'occuper) et d'envie de plus de temps à consacrer à un type d'activités (celles qui se font avec les jeunes enfants, éduquer, prendre soin, aider…) également tout à fait structurant de l'identité.

Quand on demande aux personnes si elles aimeraient consacrer plus, moins ou autant de temps à un certain nombre d'activités (le travail, les loisirs, la famille…), les Européens citent la famille en premier : plus de 60 % des personnes voudraient y consacrer plus de temps (alors que 20 % seulement des personnes voudraient consacrer plus de temps au travail). Ce désir est particulièrement vif en France, puisque 75 % des Français souhaiteraient accorder plus de temps à leur famille.

En fait, ce dont s'inquiètent avant tout les Français et ce dont ils sont mécontents, c'est que le travail déborde sur le reste de leur vie. Ce n'est pas tant qu'ils travaillent trop, mais que les différentes activités sont mal articulées entre les différentes sphères de vie. Alors qu'un quart des Européens s'inquiète « souvent » ou « toujours » de problèmes professionnels en dehors du travail, c'est le cas de 44% des travailleurs français. Ils sont aussi particulièrement nombreux à estimer qu'ils sont trop fatigués en rentrant du travail pour apprécier les choses qu'ils aimeraient faire à la maison.

Dès lors, le désir de voir le travail prendre moins de place ne peut en aucun cas être interprété comme le signe d'un désir de loisirs ou d'une inappétence pour le travail. Il s'agit bien plutôt de l'expression d'un dysfonctionnement de la sphère du travail assez spécifique à la France (dégradation des conditions de travail et sentiment d'insécurité de l'emploi), ainsi que de l'expression d'un désir positif de mieux concilier vie professionnelle et vie familiale. Ce dernier s'inscrit dans un contexte de montée ininterrompue de l'activité féminine et d'insuffisance des politiques publiques et d'entreprise permettant aux individus de s'engager également dans les différentes sphères de vie auxquelles ils attachent de l'importance et qui constituent pour eux autant de modalités diverses de leur réalisation.

Nous sommes loin d'avoir totalement élucidé le paradoxe, mais les enquêtes nous permettent toutefois de dire certaines choses. En raison d'un taux de chômage élevé et d'une volonté très marquée de considérer le travail comme un moyen d'expression, les Français semblent accorder plus d'importance au travail que les autres Européens. Cela ne les empêche pas de souhaiter voir réduite la place qu'occupe le travail dans leur vie, à la fois parce que les conditions de travail et les relations sociales sont trop mauvaises, et parce qu'ils veulent consacrer du temps à d'autres activités. Le fait que les femmes soient nombreuses dans l'emploi n'est d'ailleurs probablement pas pour rien dans le message qu'ils et elles veulent faire passer : «Il y a aussi d'autres activités importantes, permettez-nous, à nous, hommes et femmes, de mieux articuler nos différentes sphères de vie. »

« Devons-nous changer nos désirs ou changer l'ordre du monde ? » À cette question, Descartes répond : «Mieux vaut changer nos désirs que l'ordre du monde. » Que devons-nous faire de l'ampleur des attentes qui pèsent sur le travail ? Est-ce que les attentes que les Français mettent sur le travail ne sont pas trop fortes ? Les Danois et les Anglais ont une relation beaucoup plus distanciée et pragmatique au travail : ne faudrait-il pas réduire nos attentes? Ce qui ne ferait en rien obstacle à une politique d'amélioration des conditions de travail et d'emploi. Ou alors, devrait-on aller dans le sens de la réalisation de nos attentes? Si on choisit la deuxième option, cela veut dire que nous devons engager une véritable révolution. Pour que le travail parvienne à satisfaire l'ampleur des attentes des Français, il faudrait changer les choses de fond en comble. Si nous voulons que le travail devienne «premier besoin vital», comme le dit Marx, il nous faut adopter les moyens en conséquence. Marx n'est d'ailleurs pas dénué d'ambiguïté. Il défend deux positions. Il indique tantôt que le travail deviendra premier besoin vital, pure autoproduction et se confondra d'une certaine manière avec le loisir (et qu'il ne peut donc s'agir de réduire sa place), et tantôt qu'il faut rééquilibrer les places relatives occupées par le temps de travail et le temps libre, le travail continuant malgré tout à relever de l'empire de la nécessité. Relève de la première option le texte magnifique que j'ai cité tout à l'heure (encadré) et qui explique pour moi de la manière la plus claire le rapport que nous entretenons avec le travail: «Supposons que nous produisions comme des êtres humains [...] Nos productions seraient comme autant de miroirs où nos êtres rayonneraient l'un vers l'autre. » C'est-à-dire que Marx imagine une société où le travail sera comme une œuvre que chacun pourra présenter à l'autre : dans ma production, je montre une image de moi, je montre à l'autre ce que je suis vraiment, et vice-versa. Dans le silence de notre échange d'image s'opère l'acte de sociabilité.

Tantôt, donc, Marx dit que le travail peut devenir premier besoin vital, tantôt il dit que le travail restera toujours une nécessité et qu'il faut faire en sorte qu'elle reste supportable, notamment en réduisant le temps de travail.

Marx, *Le Capital*

« Le règne de la liberté commence seulement à partir du moment où cesse le travail dicté par la nécessité et les fins extérieures ; il se situe donc, par sa nature même, au-delà de la sphère de la production matérielle proprement dite. [...] Dans ce domaine, la liberté ne peut consister qu'en ceci : les producteurs associés – l'homme socialisé –

règlent de manière rationnelle leurs échanges organiques avec la nature et les soumettent à leur contrôle commun au lieu d'être dominés par la puissance aveugle de ces échanges; et ils les accomplissent en dépensant le moins d'énergie possible, dans les conditions les plus dignes, les plus conformes à leur nature humaine. Mais l'empire de la nécessité n'en subsiste pas moins. C'est au-delà que commence l'épanouissement de la puissance humaine qui est sa propre fin, le véritable règne de la liberté qui cependant ne peut fleurir qu'en se fondant sur le règne de la nécessité. La réduction du temps de travail est la condition fondamentale de cette libération.»
Le Capital, III, conclusion, in K. Marx, *Œuvres*, Économie, II, p. 1487-1488.

2.
Retour sur l'histoire longue du travail

Je vais à présent revenir sur les étapes du processus qui a eu pour conséquence que le travail est devenu central dans nos sociétés, qu'il est devenu un fait social total, et que l'absence de travail est devenue quelque chose d'absolument insupportable. Ma thèse, qui ne demande qu'à être discutée, c'est que le travail a trouvé son unité – c'est-à-dire la première fois qu'on a pu dire LE travail – au XVIIIe siècle, avec les philosophes économistes, et notamment Adam Smith. Smith ne part pas de la réalité du travail, mais il dit que le travail, c'est ce qui crée de la richesse. Tout se passe comme si le travail était quelque chose qui s'inventait de manière abstraite et instrumentale. Le travail ne trouverait son unité qu'à partir du moment où il créerait de la richesse. Smith continue toutefois à penser que le travail est une peine, un sacrifice. Tout comme les économistes, aujourd'hui, qui continuent à penser que le travail est une «désutilité». Il y aurait selon eux d'un côté le travail, et de l'autre le loisir.

Au XIXᵉ siècle, une révolution complète s'opère, et le travail devient l'essence de l'homme. L'idéalisme allemand, et plus particulièrement Hegel, va alors théoriser cette vision du travail. Ce qu'il dit, c'est que l'«esprit», que l'on peut entendre comme étant l'homme, est dans le travail de sa propre transformation. Dès lors, il envisage l'histoire du monde comme l'histoire de l'anéantissement de la nature par l'homme de manière que l'homme puisse mettre son image, sa trace, son empreinte partout. Il s'agit d'humaniser le monde. La tâche de l'homme, pour Hegel et Goethe, et selon une conception très prométhéenne, c'est d'anéantir le naturel pour mettre à la place du spirituel, de l'humain. Dès lors, le travail est à la fois ce qui transforme le monde, le fait à l'image de l'homme, et ce qui me transforme moi-même. Chez Hegel, il y a encore une pluralité de manières de mettre le monde en valeur. Mais Marx, lui, va porter cette conception à son acmé. Pour lui, il n'y a plus que le travail. Le travail devient la seule activité humaine qui importe et qui définit l'homme. Le travail est la véritable activité humaine. Cette idée que le travail est l'essence de l'homme n'efface pas ce que j'ai appelé la « première couche de signification », celle qu'a apportée le XVIIIe siècle. Les deux coexistent. Ma thèse, c'est qu'à la fin du XIXe siècle une troisième couche de signification va encore venir s'ajouter aux deux autres : c'est le début de la société salariale ; le travail devient le support des droits et des protections, il devient le système de distribution des revenus, des droits et des protections.

On se retrouve alors avec un concept de travail composé de différentes couches de signification qui sont largement contradictoires entre elles. Et je défie quiconque de parvenir à définir le travail de manière consensuelle. Car à la fois le travail est un facteur de production, créateur de richesse pour la société et pour soi-même ; le travail c'est l'essence de l'homme, il s'y exprime, y fait œuvre commune, y transforme le monde ; et le travail donne accès à la consommation, aux revenus, à la protection sociale, au droit du travail. Mais ces dimensions sont totalement contradictoires. En effet, dans un cas, lorsque le travail est facteur de production, le travailleur importe peu – ou pas ; ce qui compte, c'est la production, la richesse concrète, et le travail n'est alors qu'un moyen pour l'atteindre. Alors que dans le second cas, lorsque le travail est l'essence de l'homme, alors la jouissance est dans l'acte, et le travail doit pouvoir être sa propre fin. Le travail n'est pas juste un moyen en vue d'autre chose (une grosse production) ; il est agréable et essentiel en lui-même parce qu'en travaillant, comme le dit Marx, je m'exprime, j'exprime ma singularité, je produis une image de moi, je la montre aux autres. Ce qui compte, c'est la qualité de cette expression, de cette œuvre individuelle et collective, c'est la qualité de ma création – à nulle autre pareille. Aujourd'hui, nous nous trouvons au milieu de ces contradictions et l'on ne sait pas quelle est notre définition du travail ni quel travail nous voulons vraiment.

Marx a reconnu la valeur du travail ; le travail est d'une certaine manière la seule valeur, la liberté créatrice, l'essence de l'homme, mais il est cela « en soi », comme disent les philosophes.

Marx pense qu'«en soi» le travail est pure puissance d'expression et doit permettre aux hommes d'exprimer pleinement leur singularité et leur appartenance à la société; mais il sait aussi que pour en arriver là il faudra désaliéner le travail. N'oublions pas la principale critique de Marx: le travail actuel est aliéné, et c'est seulement lorsqu'il sera désaliéné, libéré, qu'il retrouvera son véritable visage, qu'il pourra devenir premier besoin vital, que nous pourrons enfin produire comme des êtres humains. Et, pour obtenir ce résultat – Marx est très clair –, il nous faut une vraie révolution, il nous faut abolir le salariat.

Or le problème, c'est que, loin d'abolir le salariat, la fin du XIXᵉ siècle voit, avec le développement de l'État-providence et la mise en place des institutions de la société salariale, la promotion et la stabilisation massive du salariat. Paradoxe, c'est sur le lien salarial que s'installent les protections: le droit du travail, la protection sociale. D'où la question qui parcourt tout le livre que j'ai consacré au travail en 1995 et qui a m'a valu tant de problèmes sans que, malheureusement, le débat se concentre sur cette question essentielle: pouvons-nous vraiment penser aujourd'hui que le travail est libéré ? Qu'il permet aux êtres humains de s'exprimer et de se réaliser alors que les conditions mises à sa libération, et notamment l'abolition du salariat, ne sont en aucune manière advenues ? Au contraire, celui-ci, bien loin de disparaître, s'est développé intensément et est devenu, comme l'a montré Robert Castel, l'objectif des mouvements syndicaux et sociaux : le salariat apparaît aujourd'hui comme ce qu'il y a de plus désirable. Mais le salariat, le fait que dans le secteur privé la caractéristique du travail salarié soit la subordination, le fait que dans la société capitaliste le travail exercé en entreprise soit d'abord soumis à la logique de productivité et de rentabilité, tout cela n'est-il pas contradictoire avec l'idéal d'un travail œuvre individuelle et collective ? C'est ce que voulait signifier Habermas lorsqu'il écrivait : « Dans le projet d'État social, le noyau utopique – la libération du travail hétéronome – a fini par prendre une autre forme. [...] Le citoyen est dédommagé par des droits dans son rôle d'usager des bureaucraties mises en place par l'État-providence, et par du pouvoir d'achat dans son rôle de consommateur de marchandises. Le levier permettant de pacifier l'antagonisme de classe reste donc la neutralisation de la matière à conflit que continue de receler le statut du travail salarié »[1]. Autrement dit, ou bien on accepte ce statut du travail, subordonné mais relativement protégé, tout en reconnaissant que, si l'on veut que ça tienne, il va falloir avoir toujours plus de croissance, de revenus, de protections (pour que le jeu en vaille la chandelle, en quelque sorte) : les salariés trouvent dans la consommation une sorte de compensation au fait que le travail reste fondamentalement aliéné en régime capitaliste. Ou alors, il s'agit de mettre le réel en conformité avec nos attentes et nos croyances : il nous faut donc mettre en place les conditions de la libération du travail. Y sommes-nous prêts ? Le souhaitons-nous ? Quelles modalités une telle révolution devrait-elle recouvrir ?

---

1. *Ibid.*, p. 113.

3.
Comment changer le travail ?
Quelles politiques ?

Quels que soient nos choix, et même si nos attentes sont sans doute trop fortes et qu'il faudra à mon avis les réduire, il faut aussi changer le travail. Car, même si d'autres activités sont importantes, il n'est pas supportable que le travail soit un lieu de peine, d'exploitation, de mal-être. Il faut qu'il soit un lieu d'épanouissement, qu'il réponde à nos exigences, nos aspirations et nos attentes. Nous devons donc faire nôtre – ce qui a été à un moment prôné par la Commission européenne – cet objectif de qualité de l'emploi, de travail décent comme l'exprime le Bureau international du travail, ou encore de travail soutenable. Un travail qui au lieu de briser, fatiguer, abaisser, abrutir, user, permettrait au contraire de s'exprimer, de nouer des contacts, d'être utile, d'être un opérateur de santé. Un tel idéal – travailler tous, travailler mieux, travailler dans des conditions décentes, faire un travail de qualité – est réalisable, nous devons le faire nôtre. Mais si tel est notre idéal, alors c'est cet objectif qui doit commander le reste. Il nous faut revoir en profondeur les normes de rentabilité qui gouvernent le monde, les représentations trop communes, appuyées sur l'économie classique. Celles-ci veulent d'abord et à tout prix voir augmenter la production, la productivité et la rentabilité, pour ensuite seulement s'occuper de la qualité du travail. Elles veulent également que quantité et qualité de l'emploi s'opposent… Nous devons tout revoir : l'organisation du travail, la définition de l'entreprise, les normes et les indicateurs qui encadrent nos comportements.

La réalité est évidemment loin de cet idéal du travailler tous et travailler mieux : 3,6 millions de demandeurs d'emploi en France ; 1,3 million de personnes en sous-emploi ; 1,1 million de foyers touchent le RSA socle, dont un tiers seulement inscrit à Pôle Emploi. Il est évident qu'avancer aujourd'hui sur la question du travail en France, c'est d'abord permettre à tous de travailler. Car on a non seulement un problème de chômage, mais aussi de taux d'emploi des jeunes et des seniors très faible par rapport aux autres pays européens. Mais c'est aussi, et cela me semble évident, que les deux choses doivent être faites simultanément : améliorer considérablement les conditions de travail et d'emploi.

Quant à la question de « travailler moins », elle continue de se poser légitimement. Contrairement à tout ce que l'on entend de-ci, de-là – moindre appétence des Français pour le travail, préférence pour le loisir, et bla bla bla – l'idée que la France travaillerait moins que les autres pays européens est en totale contradiction avec les chiffres. Selon l'enquête de l'institut européen Eurostat, les salariés français travaillent plus en moyenne par semaine (36,5 heures) que les Allemands (34,6 heures), dont la santé commerciale est florissante, que les Scandinaves (34,5 heures au Danemark, 35,6 heures en Suède et 33,2 heures en Norvège), qui affichent parmi les meilleures performances économiques et sociales du monde, que les Néerlandais (29,5 heures), et même que les Américains (33,9 heures). Nous devons nous méfier des présentations qui se focalisent sur les durées de travail des salariés à temps complet, sans compter les salariés à temps partiel, dont la prise en considération donne un tout autre visage de la réalité du temps de travail.

Rendre le travail soutenable

Le concept de travail «soutenable» a été théorisé en Suède en 2002, en réaction à l'intensification du travail en Europe. Le raisonnement des promoteurs de cette idée était le suivant : plutôt que de pressurer la machine humaine, au risque d'avoir des salariés de 50 ans épuisés que l'on n'arrivera pas à faire travailler plus longtemps, ou encore au risque d'empêcher les femmes d'accéder à l'emploi parce qu'il serait trop difficile pour elles de concilier leur travail avec la vie familiale, il faut rendre le travail soutenable, c'est-à-dire accorder de la considération aux personnes qui travaillent, changer radicalement les conditions d'exercice du travail pour permettre à tous de trouver leur place dans l'emploi. Une organisation du travail permettant la soutenabilité permettra aux travailleurs de rester plus longtemps en activité et de ne pas se retirer précocement usés par le travail.

Rendre le travail soutenable, c'est aussi intégrer le travail dans la vie. C'est-à-dire faire en sorte que les différentes sphères d'activité, notamment la sphère familiale et celle du travail, soient mieux articulées. Cela passe sans doute moins par un raccourcissement du temps de travail que par une meilleure articulation des différents temps sur l'ensemble de la vie. C'est bien sûr aussi développer les qualifications et promouvoir la qualité de l'emploi. Rappelez-vous en 2001, un sommet européen important avait placé la question de la qualité de l'emploi au premier rang des priorités européennes… Malheureusement, depuis, on a négligé cette question; on continue au niveau européen aujourd'hui à hésiter entre avoir plus d'emploi ou avoir de meilleurs emplois. Certes, on dit aujourd'hui vouloir poursuivre les deux objectifs, mais il semblerait quand même que la question de la qualité de l'emploi ait été largement laissée de côté. En 2001, on avait défini ce qu'on appelait «les indicateurs de Laaken», qui permettaient de préciser la notion de qualité de l'emploi. Ces dimensions englobaient la qualité intrinsèque de l'emploi, la formation tout au long de la vie, l'égalité entre les hommes et les femmes, la santé et la sécurité au travail, la flexibilité et la sécurité, l'insertion et l'accès au marché du travail, l'organisation du travail et l'équilibre entre la vie professionnelle et la vie privée, le dialogue social et la participation des travailleurs, la non-discrimination, les performances économiques et la productivité. Tous ces critères rejoignent le concept de travail décent établi par Bureau international du travail. On ne peut donc pas dire aujourd'hui que l'on n'a pas des indicateurs à notre disposition qui permettent de mesurer la qualité de l'emploi. Le principal problème, c'est qu'il n'y a pas de volonté politique; l'emploi de qualité n'est pas considéré comme un objectif majeur de l'Europe. Or, on est vraiment confronté, notamment en France, à la question de la qualification.

Et, en matière de qualité de l'emploi, plusieurs groupes se dessinent en Europe, comme l'a montré un travail récent réalisé au CEE par Lucie Davoine et Christine Ehrel[1]. D'un côté,

---

1. Davoine, Ehrel, *La qualité de l'emploi en Europe: une approche comparative et dynamique*, Document de travail du CEE, n° 86, 2007.

les pays nordiques qui tiennent le haut du pavé en termes de qualité de l'emploi; d'un autre côté, des pays continentaux et méditerranéens qui en sont beaucoup plus éloignés. Les pays nordiques ont une population active beaucoup plus qualifiée – l'écart est de presque 20 points avec certains autres pays – ce qui induit un cercle vertueux. Des salariés bien qualifiés peuvent donc travailler sur des produits à haute valeur ajoutée, moins sensibles à la concurrence des autres pays, qui donnent de bons salaires et un bon niveau de protection sociale. Ce qui permet dans la division internationale du travail de se mettre sur les bons segments. Depuis de nombreuses années déjà, on parle en France de cette question de la qualification, notamment en ce qui concerne les jeunes (le taux des jeunes qui sortent du système scolaire et universitaire sans diplôme ou sans qualification est très élevé, puisque près de 18 % d'une génération est concernée. Ce sont ces jeunes qui ont le plus de mal ensuite à trouver un emploi, et particulièrement un emploi stable). Car on sait parfaitement que c'est une question centrale, le chômage frappant sélectivement et massivement les gens peu qualifiés, les seniors, les femmes ou les jeunes.

Certains chercheurs ont fait des propositions intéressantes. Esping Andersen, un sociologue nordique qui a beaucoup travaillé en Europe, et qui est à l'origine d'un livre essentiel, *Les Trois Mondes de l'État-providence*, a récemment proposé le concept «d'État prévoyant». Son idée est la suivante : plutôt que de réparer, il faut absolument investir le plus tôt possible pour éviter l'occurrence des risques sociaux, et notamment pour éviter l'occurrence du risque social majeur qui est précisément la non-qualification. Si on approfondit cette idée, on voit bien que ce qu'il faut faire, c'est s'occuper très tôt des jeunes enfants, mettre à leur disposition un environnement de qualité, mettre des moyens très développés dans la qualité de leur éducation. Esping Andersen montre par exemple qu'il y a un lien entre le fait que les inégalités entre les générations ne se sont pas accrues dans les pays nordiques et le fait que ces pays sont ceux qui accordent le plus d'intérêt aux questions de la petite enfance (services d'accueil de qualité pour les jeunes enfants ; taux d'encadrement élevés et qualité de l'encadrement ; classes de petite taille, soutien individualisé apporté à chaque enfant ; refus de la compétition). Si la Finlande occupe la première place dans le classement Pisa de l'OCDE qui analyse les compétences des jeunes à 15 ans, c'est parce qu'il y a à la fois des modes de garde de qualité et un investissement massif dans l'école primaire avec des classes peu nombreuses et un soin extrême apporté à chaque enfant, à sa réussite, à sa compréhension, à son développement. C'est-à-dire que, chaque fois qu'un enfant décroche, on le remet dans le bateau. Ainsi, on fabrique de l'égalité, de l'homogénéité et de la qualification.

Enfin, je pense qu'il faut aussi des organisations du travail de qualité. Des travaux ont montré qu'en Europe, et plus globalement dans les pays développés, deux grands types d'organisation du travail existent : il y a les organisations du travail apprenantes que l'on retrouve surtout dans le modèle sociotechnique scandinave. L'un des spécialistes de cette question, Antoine Valeyre, écrit que c'est un modèle relativement décentralisé, où les salariés ont beaucoup d'autonomie et peu de contraintes temporelles. L'autre organisation, dite en *lean production*, est plus proche du taylorisme, et les salariés y sont confrontés à des situations d'autonomie contrôlée.

Antoine Valeyre constate qu'en 2000 il y avait une prépondérance des organisations apprenantes dans les pays nordiques, les Pays-Bas et dans une moindre mesure en Allemagne ; et des organisations en *lean production* au Royaume-Uni, en Irlande, en Espagne et dans une moindre mesure en France. Les organisations apprenantes sont plus ouvertes à la formation en permanence, à l'autonomie et donc à la prise de responsabilité des salariés. Ces derniers exercent le plus souvent des tâches complexes, non monotones, non répétitives, et subissent peu de contraintes de rythme. Les salariés qui travaillent dans des organisations apprenantes sont peu nombreux à déclarer être exposés à des pénibilités physiques, qu'il s'agisse de postures douloureuses ou fatigantes, de manutentions de charges lourdes, de mouvements répétitifs des mains ou des bras, ou de vibrations mécaniques. Ces organisations semblent donner de meilleurs résultats en matière de travail soutenable, car elles usent moins les salariés.

Faut-il dès lors changer non seulement notre conception du travail, nos politiques du travail, mais aussi l'entreprise ? Roger Godino a intitulé un de ses livres *Réenchanter le travail*.

Pour réenchanter le travail, dit Godino, il faut radicalement changer l'entreprise. Selon lui, le travail ne peut être une participation à une œuvre commune qu'à condition que l'on change totalement la définition de l'entreprise. L'entreprise doit résulter d'un contrat fondateur entre les parties prenantes et de l'égalité entre apporteurs de capitaux et apporteurs de compétences. Il faut une assemblée générale des salariés de l'entreprise, des élections des représentants des salariés au conseil de surveillance, etc. Je suis totalement d'accord avec lui, alors même que j'avais intitulé le dernier chapitre de mon livre sur le travail « Désenchanter le travail ». Ou bien nous continuons à poser des attentes énormes sur le travail et nous continuons à penser que le travail doit devenir un moyen de réalisation de soi pour tous – mais nous devons alors engager une profonde révolution pour rendre le réel conforme à notre idéal – ou nous devons renoncer à l'idée que le travail pourrait un jour satisfaire tous nos désirs (de richesse matérielle, d'expression, de communication, de création) – et il nous faut alors désenchanter le travail et mener de front deux tâches, toutes deux très belles : améliorer continûment les conditions de travail et d'emploi et faire en sorte que le travail décent se répande dans le monde tout en permettant parallèlement que les diverses activités humaines, les différents rôles qui incombent aux individus puissent être également exercés. Donc libérer une place pour que cela advienne et mieux articuler travail et autres activités individuelles et collectives.

4.
Changer notre conception de la richesse et du progrès

Si on veut changer notre rapport au travail et la place du travail, on doit adopter une nouvelle définition de la richesse, du progrès, de la réussite collective, et donc adopter de nouveaux indicateurs de richesse et du progrès. C'est-à-dire considérer le travail comme une des activités qui créent de la richesse. Ce ne sera qu'à condition de disposer de cette nouvelle conception et de nouveaux indicateurs que l'on pourra échapper à ce qui se passe en ce moment – ce que j'appellerais une maltraitance du travail. Car à force d'utiliser des indicateurs de gestion exclusivement attentifs à la rentabilité, à force de penser que la seule chose importante, collectivement, c'est la grosseur du PIB, on finit par maltraiter le travail qui n'est plus considéré, comme dans la théorie économique classique, que comme un moyen, un moyen au service d'une autre fin qui importe plus que tout le reste, qui doit primer. Je suis convaincue que, pour changer vraiment le travail, on doit monter d'un cran, changer d'indicateurs globaux de performance et cesser de vivre les yeux braqués sur le PIB alors que l'on sait aujourd'hui que ce n'est pas un bon indicateur.

Je suis consciente que ce sera très difficile d'inverser une « tournure d'esprit » que nous avons depuis très longtemps. En effet, une fois que l'on a dit que l'important pour une bonne société, c'était le PIB, une fois que l'on a dit que le progrès d'une société, c'était l'augmentation du PIB, on va mettre en place tous les indicateurs micro qui vont inciter à l'obtention de la production la plus grosse possible. Or le PIB a trois grandes limites. Premièrement, il ne valorise pas des temps essentiels, très importants non seulement pour les individus, mais pour la survie de la société, pour son maintien et son développement. Je veux parler des activités bénévoles, du travail domestique, du temps parental, du temps des soins, du souci des autres ; mais aussi du temps démocratique, ce temps que l'on devrait utiliser pour augmenter le caractère collectif, démocratique et partagé de nos décisions, car nous vivons en société, nous sommes une communauté, un collectif et chacun doit pouvoir dire son mot sur la détermination des conditions de vie communes. Cela veut dire que, lorsque l'on va vouloir augmenter la production, cela se fera au détriment de ces temps-là. On ne s'apercevra que plus tard qu'en augmentant le PIB on finira par réduire ces autres temps à la portion congrue.

Deuxièmement, le PIB ne s'intéresse pas à la manière dont la contribution à la production et les revenus de celle-ci sont répartis entre les membres de la société. Autrement dit, on peut avoir un aussi gros PIB avec 10 % de la population active occupée qu'avec 80 %. On peut avoir un gros PIB et un accès à la consommation et une distribution des revenus très inégalitaire, on peut avoir aussi un énorme sous-emploi. Enfin, troisième limite, le PIB ne prend pas en compte les dégâts occasionnés par la production et les atteintes portées au patrimoine collectif, notamment au patrimoine naturel. On sait aujourd'hui que notre comptabilité n'est pas patrimoniale, c'est-à-dire qu'on prend en considération la production, la valeur ajoutée, mais jamais la manière dont le patrimoine naturel, le fonds dans lequel on puise, a été utilisé, abîmé, pour occasionner cette production. On ne compte donc que les plus et jamais les moins.

Envisager la disparition de la société

Il faut, je pense, faire l'effort d'envisager la possible disparition de la société. Sous le coup d'une guerre civile qui viendrait d'inégalités trop fortes, ou bien d'une pollution majeure, ou encore d'un événement remettant en cause le caractère habitable de notre planète. Autrement dit, les deux grands risques auxquels nous sommes confrontés sont la dégradation de notre capital naturel et la dégradation de notre santé sociale. Si on fait l'expérience de se dire que la société risque vraiment de disparaître, alors on voit l'importance que revêt ce patrimoine que notre dispositif de comptabilité rend pour l'instant tout à fait invisible et dont nous ne pouvons donc pas suivre les évolutions.

Il existe aujourd'hui à notre disposition un grand nombre d'indicateurs qui montrent soit les évolutions de la santé sociale, soit les évolutions d'ensembles plus larges. Les Miringoff, des sociologues américains, ont proposé des indicateurs de santé sociale dans leur livre, *La Santé sociale de la nation*, publié en 1999. Avec tous ces indicateurs, on obtient le plus souvent une évolution négative ou stagnante alors que le PIB, lui, continue de grimper. L'ensemble des indicateurs plus larges dont nous disposons (pour une revue complète, voir Gadrey et Jany Catrice, *Les Nouveaux Indicateurs de richesse*, Repères, 2005), qui prennent en considération les inégalités, la pauvreté et le patrimoine naturel, mettent en évidence que les évolutions de la santé sociale, de la qualité de vie, du bien-être considéré de façon plus large, sont en baisse ou stagnent. L'indicateur de bien-être économique d'Osberg et Sharpe me paraît particulièrement intéressant car il prend en compte à la fois l'évolution des stocks des ressources naturelles renouvelables et non renouvelables, les dimensions de santé sociale, les dimensions d'inégalité et de pauvreté, mais il s'intéresse aussi à la manière dont les grands risques sociaux sont couverts.

Reste à savoir qui a le droit de choisir les variables qui vont constituer cet indicateur, et qui va choisir les pondérations. De mon point de vue, ce choix doit être le résultat d'un acte démocratique par excellence, puisqu'il consiste à se demander : Qu'est-ce qu'une bonne société ? Qu'est-ce que le progrès d'une société ? Et à quoi tenons-nous dans cette société pour nous-mêmes et pour nos enfants ?

C'est certainement au terme d'un processus de délibération collectif très bien préparé qu'on doit pouvoir se dire ensemble ce que sont ces dimensions, et ce que pourraient être les indicateurs nous permettant de mettre en évidence les évolutions de ce patrimoine commun. Je ne dis pas qu'il faut remplacer le PIB, mais avoir à côté de lui un indicateur beaucoup plus global, qui nous donne des informations beaucoup plus réalistes sur les évolutions de notre société et surtout sur les risques qu'elle encourt.

Il faut donc changer radicalement de perspective. Il est acquis, me semble-t-il, que nous sommes désormais obligés de prendre au sérieux la crise écologique – ou du moins les contraintes écologiques. Il me semble aussi indispensable de considérer que la qualité de l'environnement et la cohésion sociale ne sont pas de vagues cadres, pas plus que la société n'est une agrégation d'individus. C'est bien plus. C'est ce que nous avons de plus précieux, et il faut en suivre l'évolution. C'est notre patrimoine, celui que nous léguons aux générations futures. Léon Bourgeois expliquait déjà en 1902 que nous avons un patrimoine collectif que nous devons transmettre à nos enfants dans un état tel qu'il soit capable de leur rendre les mêmes services.

Il nous faut donc non seulement mettre en œuvre le plus rapidement possible un nouveau modèle de développement, axé sur la conservation et le soin apporté à notre patrimoine collectif dans toutes ses dimensions – pour cela engager une délibération publique d'une nature radicalement nouvelle, ouvrir des espaces publics qui permettront l'expression d'un choix collectif –, et, en même temps que d'une prise de conscience, nous doter des nouveaux indicateurs dont nous avons besoin pour mesurer ce nouveau type de progrès. Ce n'est à mon sens que dans ce cadre renouvelé que nous pourrons avoir une nouvelle vision de ce qu'est le travail, et asseoir de nouvelles politiques pour changer le travail.

Questions

Je vais me risquer à poursuivre votre réflexion sur le débat des économistes du XVIIIe et XIXe siècles. Au risque aussi de revenir sur les débats qu'avait suscités votre livre sur le travail, valeur en voie de disparition. Vous avez rappelé qu'Adam Smith avait défini le travail comme source de richesse, facteur de production. Mais Ricardo, puis Marx ont été au-delà et ont défini le travail comme la Valeur d'échange, c'est-à-dire la mesure de la valeur de toute chose. Donc une chose n'a de valeur, n'a de prix, qu'en fonction du travail accumulé... Cette définition de la valeur est, je pense, intrinsèquement liée à la mise en place du système dit capitaliste. C'est bien le capital qui a besoin d'exploiter le travail qui lui permet de produire de la valeur. Vos questions sur les nouveaux indicateurs, sur la nécessité de redéfinir la place du travail dans la vie, ne sont-elles pas à relier aux débats actuels sur la définition du système économique et social, c'est-à-dire du capitalisme, dans une société où ce qui définit l'entreprise et la valeur des choses, c'est l'information et la connaissance ? Et donc, au-delà de la simple recherche d'un PIB ou d'indicateurs de développement humain d'Amartya Sen, n'y aurait-il pas à réfléchir sur une valeur qui ne serait plus fondée sur le travail au sens de force humaine, énergétique ? Certains parlent de valeur-relation… Parce que jamais on n'arrivera à donner une valeur à un arbre, un paysage ou un sourire à partir de la notion de travail. Ne pensez-vous donc pas que l'on est face à la question de la remise en cause du système capitaliste et de la valeur travail ?

Dominique Méda. – Pour aller un cran plus loin dans la compréhension du paradoxe français en matière d'attentes qui pèsent sur le travail, je voudrais introduire dans le débat le sociologue Philippe d'Iribarne, qui développe dans son livre, *La Logique de l'honneur,* l'idée que la France, contrairement à ce que l'on dit, est un pays où la place de l'aristocratie est toujours extrêmement importante et où la logique de l'honneur est déterminante. Et, qu'en conséquence, le travail est aussi et avant tout un statut. Par mon travail, je dis aux autres à quelle classe j'appartiens et ce que je suis. Cela n'existe absolument pas au Danemark ou au Royaume-Uni. En outre, en France, le diplôme a aussi une place très spécifique. Selon le diplôme que vous avez, vous aurez un certain type de travail, vous appartiendrez à une certaine catégorie sociale. Le travail est bien plus que le travail : c'est un signe d'appartenance, un marqueur, un statut.

Concernant les philosophes économistes et ce que vous dites sur le « capital cognitif », qui est la thèse de Yann Moulier Boutang, je pense qu'ils sont dans le vrai. Mais si on adopte cette thèse, la réduction du temps de travail ne sert strictement à rien, et elle est totalement inadaptée, puisque la mesure de la valeur n'est plus attachée au temps de travail, mais à bien d'autres choses. Il faudrait donc trouver d'autres règles pour limiter l'emprise du travail sur nos vies.

Enfin, l'idée que toute la vie est travail, et donc que ma vie consiste en la gestion d'un portefeuille d'activités, comporte un enjeu politique majeur qui renvoie à la définition du travail. Et ce contre quoi je lutte, c'est bien une définition extensive du travail. Car, si tout est travail – ce que font les femmes à la maison (car malheureusement ce sont encore elles qui assument majoritairement ces activités), le travail scolaire, etc., on n'arrive plus à sauvegarder la diversité des finalités des activités humaines. Des activités qui consistent à aimer, à soigner, à s'occuper... Si tout est travail, je crains que la logique économiciste et instrumentale qui gît au fond de l'idée de travail ne finisse par contaminer toutes les activités humaines. Or, et pour moi cela est essentiel, les activités humaines sont diversifiées. On ne peut pas rassembler toutes les activités humaines sous le concept de production, ni sous le concept de travail. Ce que je tente de faire, c'est sauvegarder cette diversité : passer du temps avec ses enfants, participer à des activités politiques, ce n'est pas produire, ce n'est pas mettre en forme pour l'usage d'autrui quelque chose qui sera approprié par quelqu'un ; les logiques à l'œuvre, les finalités n'ont rien à voir. Il me semble qu'il faut sauvegarder des espaces destinés à l'exercice de chacune de ces activités. Par exemple, dégager des espaces publics permettant aux citoyens de s'informer, de délibérer, de participer aux décisions. Conserver un espace privé où s'exercent des activités, de jeu, de soins, d'attention, d'aide, de soutien, qui n'ont rien à voir avec la production.

Qu'est-ce qu'on fait concrètement ?

Dominique Méda. – Je vous accorde qu'il y a un monde entre la description de cet idéal et ce qu'on doit faire à court terme pour lutter contre le chômage massif auquel on est confronté. Toutefois, il m'a toujours semblé qu'il fallait avoir un idéal. Cette idée que chacun puisse accéder à l'ensemble des activités peut nous guider et nous aider à ne pas nous tromper complètement de chemin. Elle peut permettre à des politiques plus concrètes et à des actions de court terme de s'inscrire dans un cadre global, dans une cohérence. Ensuite, il faut élaborer à l'échelle européenne et nationale des objectifs intermédiaires, des politiques d'emploi, des formations pour les chômeurs, des programmes de reconversion et les aides qui vont avec. Je crois que le moment est venu de nous doter, à l'échelle européenne, d'objectifs environnementaux et sociaux dont le non-respect devra être aussi sévèrement sanctionné que le non-respect des prescriptions du

Pacte de stabilité. Enfin, la prise en compte de la contrainte écologique doit désormais nous guider, y compris dans les questions de travail et de conception des plans de relance. On ne peut plus relancer de la même manière aujourd'hui avec les connaissances que nous avons sur la crise écologique.

Notre principale difficulté aujourd'hui n'est-elle pas de redéfinir le travail ? Hannah Arendt, dans son essai, La Condition de l'homme moderne, *avait défini le travail en trois catégories : le travail de l'homme* laborens, *pénible et difficile, qui a comme vocation de produire des biens qui ne sont pas destinés à durer mais à être consommés ; le travail de l'homme qui œuvre, celui qui produit un bien durable, et dans lequel l'homme peut se réaliser, qui est aussi le travail de la maîtrise d'un métier ; et enfin le travail de l'homme actif, qui agit d'un point de vue politique, pour le bien-vivre ensemble. Lorsque l'on parle aujourd'hui de réduction du temps de travail, ou de la place du travail dans une vie, n'est-il pas important de réfléchir sur la place du travail consacré à l'activité* laborens, *cette activité qui vise à produire des biens et des services marchands destinés à la consommation ?*

Dans les pays industrialisés et d'abondance comme les nôtres, ne serait-il pas temps de réfléchir sur cette place accordée au travail laborens, *dans le but de donner plus de place au travail œuvré et au travail de l'homme actif?*

Dominique Méda. – Je ne suis pas totalement d'accord avec votre interprétation. Ce que dit Hannah Arendt, c'est que le travail est la reproduction des conditions matérielles de vie. En cela, elle est tout à fait dans la lignée des philosophes grecs, pour lesquels il y a d'un côté les gens qui sont soumis à la nécessité – je suis obligé d'apporter mes services parce que j'en ai besoin pour manger –, et d'un autre côté les citoyens libres qui font de la politique. Elle se situe complètement dans la filiation grecque, et c'est pour cette raison que peu de gens ont aimé son discours sur le travail. Elle critique très fortement Smith et les économistes, car elle pense qu'il faut limiter la partie travail pour développer la partie politique, l'action. J'étais aussi dans cette ligne de pensée lorsque j'ai écrit mon premier livre; mais on n'est plus chez les Grecs, il n'y a plus d'esclaves… Cependant, il ne faut pas tout rejeter en bloc. Il serait certainement intéressant d'adapter ce discours à la modernité, car on a beaucoup à apprendre des philosophes grecs – et d'Hannah Arendt. Notamment que pour les sociétés il est très important d'être capable de délibérer collectivement, de se dire pourquoi on est ensemble en société et de faire des choix collectifs. C'est pour cette raison aussi que je ne me sens pas du tout en accord avec des philosophes comme Marx qui pensent que tout se fait et doit se faire dans la sphère du travail, que tout se détermine à partir de la sphère du travail et que donc il n'y a même plus besoin d'activité politique. Je suis persuadée au contraire qu'il y a des types d'activité différents, et qu'on a besoin de cette diversité pour avoir un lien social fort. Le fait d'être tous ensembles liés dans le travail, soit par l'échange économique, soit par la coopération, ne suffit pas à faire société. En plus, il faut se parler, il faut qu'on ait envie de faire des choses ensemble et de décider ensemble.

Georges Dumazedier dit que nous allons vers une civilisation du loisir. Mais, pour avoir du loisir, encore faut-il avoir du travail, sinon on ne peut pas se le payer. Je voudrais rebondir sur «Travail : la révolution nécessaire» en citant Albert Camus qui disait : «L'utopie est une vérité anticipée.» Je pense qu'il faut porter davantage la réflexion sur la réconciliation entre la finalité d'une entreprise et la finalité de l'être humain. Paradoxalement, elles se confondent parce que l'entreprise cherche à s'affirmer au niveau local, régional, national ou international et le salarié, l'être humain, à imposer sa marque, comme disait Hegel, dans son travail de qualité grâce auquel le client viendra, ce qui aura pour résultat une production modérée pour le bien-être de l'humanité et des salariés de l'entreprise. Une entreprise est en bonne santé quand le salarié est en bonne santé. Si nous ne rétablissons pas le médiateur social qu'est le dialogue, on ne pourra jamais arriver à une amélioration de la société. Le travail, c'est avant tout spiritualiser l'homme – et ce n'est pas que de la philosophie. Dans nos entreprises, tout le monde se plaint du manque de dialogue, on ne se rencontre plus autour d'un verre, on ne discute plus. Lorsqu'on ne dialogue plus, il n'y a plus de motivation, ni d'investissement. Et ruiner le bien-être humain, c'est ruiner l'entreprise.

Dominique Méda. – Ne pensez-vous pas qu'il faille pour cela changer la définition de l'entreprise et aller vers ce que l'on connaît en Allemagne, l'entreprise communauté où chacun apporte ses compétences et où le rapport de subordination est redéfini?

Il faut une entreprise de personnes éclairées, qui investisse dans la formation pour que les salariés et les dirigeants se sentent de plus en plus concernés. Il s'agit de rétablir des rapports de «force» équitables.

Dominique Méda. – Ce que montre l'étude, ce n'est pas tant que les gens n'ont pas envie de travailler, mais qu'ils sont découragés. Comment se fait-il que la réalité du travail en France soit perçue de manière aussi défaitiste et négative? Pas de perspective de promotion, du déclassement... Y a-t-il là une spécificité française, et d'où viendrait-elle? Faut-il chercher une explication du côté de l'organisation du travail, des relations sociales? Car, c'est indéniable, il y a un malaise français.

Il me revient à l'esprit une phrase du sénateur Henri Weber qui disait lors d'un colloque : « De même que nous avons construit la sécurité sociale après la Seconde Guerre mondiale, il faudrait construire de nos jours une sécurité sociale professionnelle qui permettrait à chacun de passer une partie de sa vie au travail, une partie en formation, une partie en congé parental, en congé civique, etc. Mais à condition que cette personne ne soit pas laissée sans statut et surtout sans revenu. » Sans nier la qualité expressive que peut avoir le travail pour tout individu, la solution ne serait-elle pas dans cette juxtaposition de temps de la vie ?

Dominique Méda. – La sécurité sociale professionnelle est devenue un concept relativement fédérateur. Si vous vouliez parler du revenu minimum universel, il n'a jamais particulièrement suscité mon enthousiasme parce que je suis sûre que, si on le mettait en place, il serait extrêmement bas. En plus je crains que cela ne soit le lit d'une sorte de bonne conscience pour la société qui s'exonérerait assez vite de l'objectif d'un travail pour tous. À mon avis, la solution n'est donc pas dans un revenu minimum, mais dans l'organisation d'un marché du travail qui permettrait à chacun de changer d'emploi normalement et en toute sécurité. On en est loin en France. Et les négociations qui ont démarré sur la mise en œuvre d'une sécurité sociale professionnelle n'ont pas été loin. L'accord du 11 janvier 2008, qui met en place la rupture conventionnelle, ne met en place aucune nouvelle garantie ; tout est renvoyé à plus tard, aux négociations à venir. De même pour la flexicurité : en France, on a établi la flexibilité et jamais la sécurité. Encore moins une sécurité au sens large (logement, salaire, etc.), qui permettrait aux gens de prendre des risques… ces fameux risques que l'on encourage tant les gens à prendre… surtout quand c'est les autres qui les prennent !

Je viens de passer trois ans en Russie, et à mon retour en France, chercher du travail a été une véritable épreuve. Je me demande si la réglementation du travail, qui encadre et protège énormément, n'empêche pas aussi toute fluidité ou mobilité sur le marché du travail. À partir du moment où on a trouvé un travail, on s'y accroche de toutes ses forces, et le chômage est vécu comme un moment d'extrême souffrance et de détresse alors que, dans d'autres pays, notamment anglo-saxons comme les États-Unis ou la Grande-Bretagne, ou même en Russie, les gens sont beaucoup moins stressés par le fait de perdre leur travail et éventuellement de devoir se reconvertir et de partir vers autre chose. N'est-ce pas cela aussi qui conditionnerait la vision très négative du travail en France ? Partant de mon expérience, je vois autour de moi des trentenaires qui, lorsqu'ils cherchent du travail, espère trouver, si je puis dire, le travail le moins pire possible au lieu de chercher le travail où ils pourraient s'émanciper au maximum.

Dominique Méda. – Sur la réglementation du travail, on a affaire à des opinions très divergentes et à un nombre impressionnant de travaux. L'OCDE, qui en produit beaucoup, avance depuis vingt ans que c'est à cause de la législation sur la protection de l'emploi que l'on a des taux aussi élevés de chômage en France, ou du moins que certaines catégories de la population restent plus longtemps au chômage. Mais l'OCDE elle-même est revenue là-dessus, et on est tous d'accord aujourd'hui pour dire que ce n'est pas parce que l'on permettra aux entreprises de licencier plus facilement que l'on aura plus de créations d'emploi. Toutes les enquêtes de la Dares sur le CNE (contrat nouvelle embauche) montrent que le nombre d'emplois effectivement créés, sans effet d'aubaine, est très faible. Je ne pense donc pas que cela soit la bonne piste. En revanche, la bonne piste, pour moi, c'est de construire des chemins pour les personnes, de bien les orienter, d'aller les chercher, de les aider à trouver du boulot, de leur présenter des emplois de qualité, d'arrêter de subventionner et d'encourager la création de mauvais emplois, à temps limité, mal payés. Cela contribue à répandre l'idée que le travail n'a pas de sens, que le travail n'a pas de valeur. Ce qui m'inquiète, c'est autant la vision négative qu'ont les Français du travail que la quête de sens du travail. Ce qui m'a vraiment frappée dans les enquêtes, c'est le désir des gens de trouver un sens à leur travail et en face le peu d'emplois qui offrent vraiment du sens, d'où vous sortez avec l'impression d'être utile et que cela sert à quelque chose.

Pensez-vous qu'il faille qualifier les chômeurs de « force » comme on le prône aujourd'hui ? Pour revenir ensuite sur la question de la qualification qui semble délimiter l'employabilité d'une personne, ne pensez-vous pas adopter la thèse libérale comme quoi il faut concentrer l'outil de qualification au regard des finalités de l'entreprise qui sont ses propres besoins? Du point de vue de la philosophe, cela ne vous pose-t-il pas problème?

Dominique Méda. – Les 120 000 jeunes qui sortent chaque année sans diplôme ni qualification du système scolaire non seulement n'ont pas de qualification pour obtenir un emploi, mais n'ont pas pu non plus accéder à beaucoup d'autres choses. La société est entièrement responsable de ne leur donner ni de quoi avoir un emploi ni une formation générale pour mieux comprendre le monde dans lequel ils se trouvent, ou pour participer au débat. Bien sûr qu'il ne faut pas qualifier les chômeurs de force, mais, si on leur permettait aujourd'hui à tous de se former, ce serait déjà pas mal du tout. Or on en est loin.

Dans une société où le chômage s'accroît de façon considérable, sans grand espoir à court terme d'une amélioration, pensez-vous que le travail peut rester une valeur au sens philosophique, et à quelle condition?

Dominique Méda. – Plus quelque chose vous manque, plus vous lui attribuez de la valeur. Dans les enquêtes, cela apparaît très clairement : ceux qui disent le plus que le travail est une valeur sont ceux à qui le travail manque le plus. Ceci étant, les difficultés d'accès à l'emploi, notamment pour les jeunes, peuvent finir par décourager et par abîmer la valeur qu'ils accordent au travail – bien plus certainement que les 35 heures, comme on a pu le dire. Ce qui a avant tout abîmé le travail, c'est le chômage, les mauvais emplois, ceux qui n'ont aucun sens, où les conditions sont abominables, où les gens sont exploités, où ils sont traités comme des chiens, où le travail redevient une pure marchandise, et les personnes un coût. C'est cela qui dégrade la valeur travail.

Le travail, dans notre société, est source de revenus, source de financement d'un logement et de beaucoup d'autres choses. La valeur que l'on attribue aujourd'hui au travail n'est-elle pas liée au fait que ce qu'on obtient du travail n'est pas suffisant pour couvrir nos premiers besoins ? Le problème ne serait-il pas aussi que l'on ne paye plus la compétence, mais le volume de travail fourni ?

Dominique Méda. – S'il s'agit de déterminer la manière dont sont calculés les salaires, c'est une énorme question, car il s'agit de savoir ce que l'on rémunère : le temps de travail, la compétence, l'habileté… Question sur laquelle Smith s'attarde un peu, et sur laquelle des philosophes ont aussi un peu travaillé, pas assez à mon goût. Élie Halévy écrivait au début du XXe siècle que la fixation des salaires suppose un système compliqué d'institutions juridiques et consiste dans une sorte de transaction entre le droit du plus fort et la loi du nombre. Et il ajoutait : « Nous croyons que l'inégalité actuelle des salaires tient, pour une grande part, non pas à l'inégalité des capacités de travail exigées, mais à l'inégalité des besoins, due à la constitution aristocratique de la société… » Tout est à revoir. Par exemple, ce qu'on appelle le travail « non-qualifié ». Une assistante maternelle fait-elle un travail non qualifié… alors qu'elle mobilise d'énormes compétences et qu'elle s'occupe de la vie d'êtres humains dépendants ?… Il faudra certainement un jour ouvrir la boîte de Pandore et se demander à nouveau ce qui détermine le salaire et ce qui détermine la compétence…

Table des matières

Achevé d'imprimer en mars 2011
sur les presses de l'imprimerie Pulsio
pour le compte des éditions de l'Aube
rue Amédée-Giniès, F-84240 La Tour d'Aigues

Numéro d'édition : 202
Dépôt légal : avril 2011
N° d'impression :

Imprimé en Europe